COURAGE, EMMA !

Vous aimez les livres de la série

Ballerine

Écrivez-nous pour nous faire partager votre enthousiasme :

Pocket Jeunesse - 12, avenue d'Italie - 75013 Paris

Ballerine

Courage, Emma !

Antonia BARBER

Traduit de l'anglais par
Sophie Alibert

Titre original :
Best Foot Forward

Publié pour la première fois en 1999
par Puffin Books Ltd.

Loi n° 49-956 du 16 juillet 1949 sur les publications
destinées à la jeunesse : juillet 2002.

ISBN 2-266-12202-9

Tutus et pointes te font rêver ?
Comme Lucie et ses amies,
enfile justaucorps et chaussons,
pour faire tes premiers pas de danse.
Deviens une…

1

C'est la rentrée !

— Tu es sûre que tout ira bien, Emma ?

— Ouiii, Ma-man !

— Quel dommage que mes leçons de coiffure commencent ce matin ! se lamenta Mme Browne en enfilant son manteau. Je suis vraiment désolée de ne pas pouvoir t'accompagner, ma chérie.

C'est ton premier jour dans ta nouvelle école...

Emma fit la moue :

— Je ne suis plus un bébé ! Ne t'inquiète pas... En plus, je serai avec Mme Lambert, Charlie... et Lucie, bien sûr.

— On prendra bien soin d'elle ! Promis ! lança Lucie.

La veille, Emma lui avait répété sans cesse : « Il ne faut pas que maman m'amène à l'école ! » Elle était horrifiée à cette idée : « Tu imagines ? Maman qui gare notre grosse voiture devant l'école... et qui me fait plein de bisous ? La honte ! Tout le monde va se moquer de moi ! »

Mme Browne jeta un coup d'œil à sa montre :

— Je dois y aller. Emma, tu es certaine que…

Les filles échangèrent un regard : ça faisait maintenant un quart d'heure qu'elles étaient dans le hall de la maison à attendre que Mme Browne s'en aille ! Il fallait agir ! Lucie et Emma l'entraînèrent vers la porte et la poussèrent gentiment dehors.

— Au revoir, Maman, cria Emma depuis le perron.

— À ce soir, madame Browne, renchérit Lucie.

Après un dernier baiser, la mère d'Emma monta enfin dans sa voiture.

— Allons voir où en est maman, proposa Lucie dès que le véhicule eut disparu au bout de la rue.

Les deux amies montèrent quatre à quatre les marches de l'escalier. Au premier étage, Jenny Lambert essuyait les dernières traces de chocolat qui barbouillaient le visage de Charlie.

— Salut toi ! lança Emma. Tu sais qui va dans une nouvelle école aujourd'hui ?

— Charlie ! s'exclama le petit garçon.

— Et Emma aussi ! répliqua Lucie en le soulevant dans ses bras. Toi, tu vas à la garderie. Et Emma vient à l'école avec moi.

— Et si on ne se dépêche pas, on va tous être en retard ! constata Jenny après un regard vers la pendule.

Tout le monde finit de se préparer en vitesse. Cinq minutes plus tard le petit groupe était dehors et prenait le chemin de l'école.

« On commence tous quelque chose de nouveau », réalisa soudain Lucie. « La maman d'Emma reprend des cours de coiffure, son père, qui a quitté la banque devient menuisier... Même maman cherche un travail à mi-temps ! » Cependant, pour Lucie, le changement le plus important était celui d'Emma. Fini l'école privée, où elle ne s'était jamais plu ! Aujourd'hui, elle faisait sa rentrée dans celle de Lucie ! Les deux meilleures amies étaient enfin réunies !

Mais pour le moment, Emma avait plutôt l'air angoissé :

— Ça fait quand même bizarre d'aller dans une école où il y a des garçons...

— Ne t'en fais pas, dit la maman de Lucie. Tu connais déjà Jeremy. Et vous vous entendez bien tous les deux, non ?

— Oui, mais lui, ce n'est pas pareil, répondit Emma. Je le connais déjà : il vient au cours de danse avec nous…

— Hé ! l'interrompit Lucie, c'est top secret ! À l'école, Jeremy veut être un garçon comme les autres. Même s'il fait de la danse !

— D'accord, je ne dirai rien, fit Emma. Mais quand même… avec Jeremy, au moins, on peut discuter ! La plupart des garçons ne pensent qu'à faire des blagues débiles.

Lucie acquiesça et continua de marcher. « Si elle savait ! pensa-t-elle. Jeremy ne parlera pas avec elle comme à la danse. Il passe son temps avec sa bande de copains et c'est tout ! »

— Tu sais, je ne crois pas qu'on le verra beaucoup, prévint Lucie.

Emma sembla un peu déçue :

— Ça ne fait rien, toi tu es là, et puis je vais me faire de nouvelles amies !

Lucie hocha la tête. « En tout cas, j'espère qu'Emma s'entendra bien avec Mélanie et Tracey. Parce que sinon, c'est le début des ennuis… »

2

Dure journée

— Hé, regardez les filles ! s'exclama Tracey. Mélanie marche sur les mains !

Dans la cour de récréation, Mélanie s'était lancée dans une démonstration de gymnastique devant Lucie et Emma. Elle était vraiment douée !

— Tu sais faire ça, toi ? demanda Tracey à Emma sur un ton de défi.

— Non, répondit Emma. Je tombe chaque fois.

— Eh bien moi, j'y arrive presque ! Mélanie m'apprend ! dit fièrement Tracey.

— Oui, presque ! Tu dois encore t'entraîner ! répliqua Mélanie en se remettant sur ses pieds.

Et les deux filles éclatèrent de rire. Tracey ne se fâchait jamais contre son amie, même quand celle-ci se moquait d'elle.

« C'est drôle comme elles sont différentes », remarqua alors Lucie.

Grande et fine, Mélanie réussissait aussi bien en sport qu'en classe. Tout le contraire de Tracey ! Celle-ci était toute petite et un peu pataude. Et surtout,

elle n'était bonne dans aucune activité. Alors, elle passait son temps à vanter les qualités de sa meilleure amie.

— Nous, on sait faire la roue, précisa Lucie.

Et Lucie et Emma firent la roue dans un même mouvement.

— Bof ! Mélanie est meilleure que vous, affirma Tracey.

— Normal ! lança Lucie. Elle fait de la gymnastique et nous de la danse classique.

— Oui, mais Mélanie tient en équilibre sur une jambe aussi bien que les danseurs ! s'exclama Tracey.

Aussitôt, les filles firent un concours… que Mélanie remporta.

— C'est parce qu'on n'a pas encore

appris les arabesques, expliqua alors Emma.

— Oh ! madame n'a pas appris les *arabesques* ? dit Tracey, en prenant un ton snob et prétentieux.

Emma piqua un fard.

— Arrête, Tracey ! Emma ne parle pas comme ça ! protesta Lucie.

Les choses tournaient mal ! Emma avait eu assez de problèmes dans son ancienne école. Le cauchemar ne devait pas recommencer !

— Si on allait au terrain de foot ? proposa Lucie pour faire diversion.

— D'accord ! répondirent les filles à l'unisson.

En chemin, elles croisèrent un groupe de garçons en short qui marchaient vers

les vestiaires. Ils étaient recouverts de boue. L'un d'eux lança :

— Salut Emma, ça va ?

Les autres garçons s'écrièrent à leur tour :

— Bonjour Emma !

— Salut Emma !

— Tu vas bien, Emma ?

Emma devint rouge comme une pivoine. Elle lança un regard inquiet à Lucie.

— Comment connaissent-ils mon nom ?

— Mais Emma... pouffa Lucie, le premier qui t'a parlé c'était... Jeremy !

— Vraiment ?

Emma se retourna. Bien sûr ! Comment avait-elle pu ne pas reconnaître Jeremy parmi ce groupe de garçons !

— Détends-toi ! lui conseilla Lucie. Il va falloir t'habituer aux garçons et à leurs blagues !

— Ils sont débiles, affirma Tracey. Ne te laisse surtout pas faire, Emma !

« Tracey est quand même bizarre, songea Lucie. Maintenant, elle est du côté d'Emma. »

La première journée d'école était finie. Emma et Lucie rentraient ensemble à la maison. Soudain, Emma, l'air anxieux, se tourna vers son amie :

— Dis, Lucie, je parle vraiment comme une snob ?

— Bien sûr que non ! Tracey sait que tu viens d'une école privée. Elle voulait juste t'embêter ! Quand elle te connaîtra mieux, je suis sûre que tout ira bien.

— J'espère… soupira Emma.

Un vélo s'arrêta à leur hauteur. C'était Jeremy.

— Alors, Emma, la rentrée s'est bien passée ?

Emma retrouva instantanément le sourire.

— Oh, pas trop mal !

— En tout cas, ce n'était pas malin d'attirer l'attention de tes copains sur elle, reprocha Lucie.

Jeremy se tourna vers Emma.

— Tu ne les trouves pas sympas ? demanda-t-il. Pourtant, ils t'aiment bien.

— C'est vrai ?

— Oui ! Ils t'ont trouvée vraiment classe ! dit Jeremy.

Emma le regarda avec étonnement.

— Comment ça, « classe » ?

— Tu sais… ils ont adoré ton côté chic, un petit peu snob, quoi ! expliqua-t-il.

Lucie étouffa un gémissement de désespoir.

3

Encore un coup d'Angela !

Enfin les cours de danse reprenaient ! Lucie et Emma retrouvaient avec bonheur le vestiaire du cours Maple. Mais cette année, il y avait pas mal de changement parmi les élèves ! Pendant les vacances, Paula s'était disputée avec

Angela. Chacune avait maintenant sa propre bande. Et l'ambiance était plutôt tendue !

Emma avait à peine posé son sac que déjà Paula et ses copines l'entouraient.

— Salut ! lui lança Paula en souriant. Alors, comment est ta nouvelle école ?

— Euh… Super ! bredouilla Emma.

Elle ne s'attendait pas à un pareil accueil !

— Dommage que ton père ait perdu son travail, soupira une fille du groupe.

Emma lui jeta un regard noir. Qui avait raconté une histoire pareille ?

— Le père d'Emma n'a pas perdu son travail, intervint Lucie.

— Ah, vraiment ! dit la fille. Et qu'est-ce qu'il fait maintenant ?

— Il est menuisier, répondit Emma en essayant de garder son calme.

— C'est pour ça qu'il ne peut plus payer ton école privée, répliqua Paula. Angela l'a dit à Sophie.

— N'importe quoi ! s'emporta Emma.

— Ça va ! Pas la peine de t'énerver, fit Paula.

Et elle s'éloigna avec ses copines en chuchotant.

Lucie passa un bras autour des épaules de son amie :

— Ne fais pas attention à elles.

— Quelle peste, cette Angela ! s'exclama Emma, au bord des larmes.

— Ne lui montre surtout pas que tu as de la peine, conseilla Lucie. Elle serait trop contente ! Emma se força à sourire.

— Allez, viens ! l'encouragea Lucie. On attache nos cheveux et on file en cours.

Pourtant, quand Emma entra dans le studio, elle n'avait toujours pas retrouvé sa bonne humeur.

— Qu'est-ce qui t'arrive ? lui demanda Jeremy.

Emma passa devant lui sans répondre.

— Je crois qu'elle a besoin d'une bonne blague, glissa Lucie à l'oreille du garçon.

— Pas de problème ! s'exclama Jeremy.

Il s'approcha d'Emma. Lucie n'entendit pas ce qu'il raconta, mais bientôt un sourire apparut sur les lèvres d'Emma.

Quand Jeremy décidait d'être drôle, personne ne pouvait lui résister !

— Les enfants !

Mme Dennison venait d'arriver. Aussitôt, la leçon commença. Tous les élèves étaient un peu rouillés. Sauf Lucie, Emma et Jeremy ! Ils s'étaient entraînés pendant les vacances avec Mme Dillon.

La vieille dame habitait au dernier étage de la maison des Browne. Elle avait fait partie du ballet russe du Bolchoï et c'est elle qui avait donné ses premiers cours de danse à Lucie.

— Et maintenant battements tendus, annonça Mme Dennison.

Tout en exécutant les mouvements, Lucie pensa à la carte de Flora Rose qu'elle avait reçue le matin même. *Pre-*

mière… mains sur la taille… tête bien droite… Elles s'étaient rencontrées pendant un stage de danse cet été [1].

— Lucie, concentre-toi, s'il te plaît, dit soudain Mme Dennison d'une voix sévère.

Lucie essaya de s'appliquer mais reprit bien vite le fil de ses pensées. Dans sa carte, Flora racontait qu'elle venait de participer à un gala de danse. Ce n'était pas la première fois ! Flora collectionnait concours, galas… et récompenses ! *Trois tendus en seconde… et on ramène en première…* Lucie, elle, n'avait reçu qu'un seul prix. « Peut-être qu'à cause de ça, je ne pourrai pas rentrer à l'École

1. Voir Ballerine t. 6 : *Une amie de plus*.

royale de danse ! », songea-t-elle avec effroi. *Et demi-plié... et tendu*... « Il faut absolument que je pose la question à Mlle Ashton ! » décida-t-elle.

Dès la fin de la leçon, Lucie, Emma et Jeremy se postèrent à la sortie du Cours Maple pour attendre Mlle Ashton. Ils l'adoraient ! Elle avait été le professeur de Lucie et d'Emma lorsqu'elles étaient encore débutantes. Elle leur avait aussi donné des cours à tous les trois pendant le stage de danse cet été.

— Vous croyez qu'on sera dans la pantomime ? demanda Emma à ses amis.

Chaque Noël, la compagnie théâtrale de la ville organisait un spectacle de pantomime. Quelques élèves du cours

Maple étaient invités à y participer. C'est comme ça que l'année précédente Lucie et Emma avaient joué dans *Dick Whittington, son Chat et les Rats*[1].

— Ça m'étonnerait, répondit Lucie en faisant la moue. On était dans celle de l'année dernière.

— Mais nous étions avec les débutantes, remarqua Emma. Normalement ça devrait être le tour de notre classe cette année.

— Eh bien alors, ce sera Angela, Paula et leurs bandes qui seront choisies, dit Lucie.

— Et moi ! lança Jeremy d'un ton joyeux. Je n'ai pas participé au spectacle de l'an dernier.

1. Voir Ballerine t. 2 : *Lucie, petit rat.*

Les deux amies échangèrent un regard inquiet. Pourvu que cela n'arrive pas ! Angela et Paula risquaient de devenir amies avec Jeremy !

Mlle Ashton arriva.

— Bonjour, les enfants !

Il fut décidé qu'ils rentreraient tous ensemble. Sur le chemin de la maison, Lucie put enfin poser la question qui lui brûlait les lèvres.

— Mademoiselle, pour entrer à l'École royale de danse, il faut avoir remporté beaucoup de prix ?

La jeune femme sourit.

— Non, ne t'inquiète pas, ce n'est pas ça qui compte. Il faut un bon niveau bien sûr, mais aussi un physique harmonieux et de la souplesse. Sans oublier le sens du rythme et une excellente mémoire !

Lucie se demanda avec inquiétude si elle avait la moindre chance de réussir. Heureusement, Mlle Ashton la réconforta :

— Je pense que tu t'en sortiras bien.

— Merci ! s'exclama Lucie, ragaillardie.

Ils arrivaient à un carrefour. Ici, leurs chemins se séparaient. Juste avant de dire au revoir, Jeremy se tourna vers Mlle Ashton :

— Euh... mademoiselle... Est-ce qu'on va participer à la pantomime ?

La jeune femme parut embarrassée par cette question.

— Je n'ai pas le droit d'en parler... Mlle Maple vous l'annoncera bientôt.

Tout ce que je peux vous dire, c'est que vous ne devriez pas trop compter dessus…

Les trois amis échangèrent des regards dépités tandis qu'elle s'éloignait.

— Ça veut dire qu'on n'est pas dedans, marmonna Lucie.

4

Tracey exagère !

Ce samedi matin, Lucie mettait son plan à exécution. Son but ? Faire en sorte qu'Emma devienne amie avec Tracey et Mélanie. Pour cela, elle avait donné rendez-vous aux filles rue du marché. « Si Tracey et Mélanie passent plus de temps avec Emma en dehors de l'école, elles verront combien elle est géniale !

Et tout se passera bien », s'était dit Lucie.

Les filles flânèrent devant les vitrines et discutèrent. L'ambiance était détendue… du moins avec Mélanie ! Car Tracey était toujours aussi agressive. Elle ne ratait pas une occasion de rabaisser Emma. Et, en plus, il se mit à pleuvoir ! Le plan de Lucie tournait à la catastrophe !

C'est alors que M. Pince-sans-rire apparut. Le vieux monsieur était le grand-père d'Angela… mais, surtout, il était l'ami de Lucie et Emma ! Par chance, sa peste de petite fille n'était pas avec lui.

— Quel temps affreux ! s'écria M. Pince-sans-rire. Ça vous dirait d'aller boire un bon chocolat chaud ?

— Nous sommes avec des amies, dit Lucie en désignant de la tête Mélanie et Tracey.

Les deux filles regardaient le grand-père d'Angela d'un air soupçonneux.

— Les amies de mes amies sont mes amies ! Qu'elles viennent avec nous ! s'exclama M. Pince-sans-rire.

Tracey lui lança un regard noir :

— Je n'ai pas le droit de parler aux inconnus.

— Ce n'est pas un inconnu, rétorqua Lucie. C'est M. Mumford ! Il connaît ma mère.

— Et il travaille avec mon père, ajouta Emma.

— Je ne voudrais pas que Tracey soit mal à l'aise ! déclara M. Pince-sans-rire.

Allons-y tous ensemble avec ta mère et ton frère, Lucie ! Comme ça, ton amie sera rassurée.

Et il partit chercher Jenny et Charlie.

Aussitôt, Tracey prit un air accusateur :

— Le grand père d'Angela ! Encore un snobinard qui veut impressionner tout le monde avec son argent !

— C'est faux ! s'écria Lucie, indignée.

Tracey se tourna vers Emma :

— Et puis comment peut-il travailler avec ton père ? Ton père n'est qu'un menuisier !

— Ils installent des cuisines équipées, répondit Emma. M. Mumford dirige l'affaire et mon père construit les placards.

— Alors tu as menti ! tonna Tracey. Ton père ne travaille pas *avec* M. Mumford, il travaille *pour* lui. Ce n'est qu'un employé !

— Mais… commença Lucie.

D'un mouvement de tête, Emma lui fit signe de laisser tomber.

— Il faut toujours qu'elle fasse son intéressante, marmonna Tracey assez fort pour que tout le monde l'entende.

Lucie et Emma échangèrent un regard consterné.

M. Pince-sans-rire revint enfin, accompagné de Jenny Lambert et de Charlie.

— Tous au Délice ! lança-t-il.

Le Délice était le meilleur salon de thé de la ville. Mélanie et Tracey parurent

très impressionnées par l'endroit. Assises autour d'une grande table en bois recouverte d'une nappe brodée, elles ne cessaient de regarder autour d'elles. Et quand Tracey vit les prix sur la carte, elle devint toute pâle. Elle se tourna vers Lucie.

— Qui va payer ? souffla-t-elle.

— Ne t'inquiète pas, murmura Lucie. M. Mumford nous invite tous.

— Je ne dois pas accepter de cadeaux de la part d'inconnus, déclara Tracey.

Lucie, exaspérée, leva les yeux au plafond :

— Je te l'ai déjà dit ! M. Mumford n'est pas un inconnu !

Tracey ne parut pas convaincue. Elle se pencha vers Mélanie et commença à lui parler à l'oreille.

« Elle a vraiment décidé de faire des histoires ! » songea Lucie.

Heureusement, Jenny Lambert avait remarqué le manège de Tracey. Elle prit la parole :

— J'ai une grande nouvelle ! annonça-t-elle. C'est moi qui invite tout le monde aujourd'hui. Je veux fêter… mon nouveau travail !

— C'est génial, Maman ! s'écria Lucie.

Elle ne s'attendait pas à une telle surprise ! « Tout va changer », pensa-t-elle. Depuis la mort de son père, deux ans plus tôt, sa famille avait manqué d'argent. Si Lucie avait pu prendre des cours de danse, c'était grâce à la générosité de Mme Maple. En effet, la directrice avait

accepté de ne pas lui faire payer ses premières leçons.

— Raconte ! Qu'est-ce que tu vas faire ? demanda Lucie.

— Je vais être l'assistante d'un professeur de l'université, répondit sa mère. Il écrit un livre : il a besoin d'aide pour faire ses recherches et taper ses textes.

— Fantastique ! approuva M. Mumford.

— La maman de Mélanie, elle, elle opère les gens, déclara Tracey.

Une fois de plus, elle voulait que Mélanie soit la vedette !

— Ouaouh ! s'exclama Emma, impressionnée.

— Oui, elle travaille en salle d'opération, précisa Mélanie. Mais elle est infirmière, pas chirurgien !

— Et le père de Mélanie travaille dans les trains, renchérit Tracey. Elle peut aller partout où elle veut sans payer !

— Pas tout le temps, la corrigea Mélanie.

La serveuse s'approcha de la table pour prendre la commande.

— Vous avez tous choisi ? demanda M. Pince-sans-rire.

Chacun se pencha à nouveau sur la carte. Et personne ne posa de questions sur les parents de Tracey.

5

Une bonne nouvelle

Cela faisait maintenant un mois et demi qu'Emma était dans sa nouvelle école... et elle s'y plaisait beaucoup ! D'abord, Mélanie était de plus en plus sympa avec elle. Ensuite, Liza Tompkins avait dit à Lucie que les autres filles la trouvaient très cool. Et enfin, elle s'en sortait mieux avec les garçons. Si l'un d'eux la taquinait, elle ne se gênait plus pour lui répondre !

— Comment ça va entre Emma et Tracey ? demanda Jeremy.

Assis à côté de Lucie, il attendait Emma à la sortie du cours de danse. Cette dernière était retournée chercher ses chaussons qu'elle avait oubliés dans le vestiaire.

Lucie poussa un soupir.

— Tracey n'arrête pas de l'embêter. Emma ne se plaint jamais mais c'est dur pour elle.

Emma les rejoignit alors. Ils prirent ensemble le chemin de la maison.

— Je suis trop déçu pour la pantomime ! grogna Jeremy.

L'air lugubre, Emma et Lucie acquiescèrent. Cette année, la compagnie théâtrale donnait *Aladin*. Seules des filles des classes les plus avancées avaient été choisies pour jouer les danseuses du harem.

Lucie était déçue. Elle aurait tellement aimé porter à nouveau un costume de danseuse orientale ! Aussi beau que celui prêté par M. Pince-sans-rire à l'anniversaire d'Angela[1]. Elle se voyait encore danser devant ses amis dans sa tenue des *Mille et Une Nuits*... Elle se tourna vers Emma et Jeremy :

— Vous savez s'il y a une fête chez Angela cette année ?

1. Voir Ballerine t. 3 : *Une ennemie pour Lucie*.

— Ça m'étonnerait, répliqua Emma. Elle s'est disputée avec presque tous ses amis. Et puis… je ne suis pas sûre qu'on soit invités.

— Moi, elle m'invitera, fanfaronna Jeremy.

— Quelle chance ! ironisa Lucie. Comme ça, tu l'auras pour toi tout seul !

Emma interrompit leurs chamailleries :

— L'anniversaire d'Angela n'est pas pour tout de suite… Mais le mien, oui !

— Tu vas faire une fête ?! s'exclama Lucie.

L'année précédente, Emma n'avait pas encore beaucoup d'amis : elle venait d'emménager. Alors, elle avait choisi

d'aller à l'Opéra… avec Lucie, bien sûr ! Dans une magnifique loge, elles avaient assisté à une représentation de *Casse-Noisette*.

— Ça ferait plaisir à maman d'organiser une fête, expliqua Emma. Et puis, maintenant, j'ai plein de nouveaux amis !

— Génial ! s'écria Lucie.

Pourtant, elle était un peu déçue. Elle aurait bien aimé retourner à l'Opéra !

— Tu nous invites à ton anniversaire ? demanda Jeremy

Emma éclata de rire.

— Évidemment !

Son visage s'assombrit soudain.

— Mais il y a un problème ! ajouta-t-elle.

— Tracey ? hasarda Lucie.

— Pire que ça ! s'exclama Emma. Je suis allée à la fête d'Angela l'an dernier, alors maman voudra que je l'invite !

Lucie fit la grimace.

— Tu n'auras qu'à la mettre à côté de Tracey, proposa Jeremy, comme ça elles pourront faire un concours de méchanceté !

— C'est une super-idée ! répliqua Lucie.

Le lendemain, à l'école, une bonne nouvelle attendait les trois amis : la préparation du spectacle de Noël allait commencer ! La directrice conseilla à ceux qui souhaitaient y participer d'aller voir Mlle Johnson au gymnase pendant

l'heure du déjeuner. Bien sûr, Lucie, Emma et Jeremy s'y précipitèrent !

D'habitude, pour le spectacle de Noël, les élèves récitaient des poèmes et chantaient des chants traditionnels. Plutôt ennuyeux ! Mais cette année, Mlle Johnson, qui était nouvelle, avait décidé de changer et de monter… une comédie musicale.

— Le conte que j'ai choisi s'intitule *Le Chat de Mousehole*, annonça-t-elle.

Assis en tailleur sur le sol, tous les élèves l'écoutaient avec attention.

— C'est l'histoire d'un chat très courageux. Il habite au bord de la mer dans le village de Mousehole. Un hiver, une tempête gigantesque empêche les habitants d'aller pêcher et petit à petit ils n'ont plus rien à manger. Noël approche et le maître du chat, un vieux pêcheur, ne supporte pas de voir les enfants souffrir de la faim. Alors il part affronter la tempête. Et, grâce à son chat, il sauve tout le monde. Certains d'entre vous joueront les enfants. D'autres les chats.

Toutes les mains se levèrent en même temps.

— Moi, moi, madame !

— Je peux être un chat, madame ?

Tout le monde s'amusait à miauler.

Mlle Johnson leur fit signe de se calmer.

— Pour l'instant, je vais noter vos noms. Vous me direz ce que vous préférez : chanter, danser, peindre les décors,

ou créer des costumes. On verra la distribution des rôles plus tard.

— Ça va être mille fois mieux que participer à la pantomime ! s'exclama Jeremy, les yeux brillant d'excitation.

6

Une fête d'enfer !

Pour l'anniversaire de sa fille, Mme Browne s'était donné beaucoup de mal ! Le salon était plein à craquer de ballons et de guirlandes. Des centaines de confettis et de serpentins attendaient d'être lancés. Les assiettes débordaient de friandises multicolores. Et une immense banderole scintillante sur laquelle

était écrit « BON ANNIVERSAIRE » traversait la pièce !

— J'aurais préféré que ce soit moins chargé, avoua Emma à Lucie. Mais Maman n'a pas pu s'empêcher d'acheter des tonnes de choses ! Elle avait l'air si contente que je n'ai pas voulu lui faire de peine.

Tracey et Mélanie arrivèrent les premières.

— Ouaouh ! s'exclama Mélanie. La déco est super !

Tracey regardait autour d'elle d'un air méfiant. Elle se tourna vers Emma.

— Ta maison est vraiment grande, dit-elle. Elle est à tes parents ?

— Euh... Oui, avoua Emma.

— Les parents de Mélanie aussi en ont une ! ajouta Tracey d'un ton sec.

— Mais c'est plus petit qu'ici, corrigea Mélanie en regardant d'un air admiratif tout autour d'elle.

— Nous ne sommes pas seuls à vivre là, précisa Emma.

Elle pensa que cela calmerait Tracey.

— Lucie, sa mère et son frère habitent en dessous et Mme Dillon au dernier étage.

— Alors tu as encore menti ! La maison ne t'appartient pas complètement, grogna Tracey.

« Tu exagères ! », eut envie de hurler Lucie. Elle ne supportait plus que Tracey attaque sa meilleure amie.

— La maison est vraiment à Monsieur et Madame Browne ! s'exclama-t-elle. Nous, on en loue juste une partie.

Oups ! Lucie comprit qu'elle n'aurait pas dû dire cela.

— Quoi ! Ta mère paye un loyer au père d'Emma ? s'écria Tracey.

— Euh… oui, poursuivit Lucie toute penaude.

— Les propriétaires sont des gens affreux ! fit Tracey en se tournant vers Emma. Ils profitent de ceux qui ont moins d'argent qu'eux !

Emma semblait sur le point d'éclater en sanglots. « Cette fois, c'est trop ! » décida Lucie.

— Arrête maintenant Tracey ! cria-t-elle. Le père d'Emma est génial ! Il a gentiment installé de nouvelles cuisines dans la maison et il a refait toutes les fenêtres. Alors tu n'as pas intérêt à le critiquer !

Tracey lança un regard furieux à Lucie. Heureusement, Mélanie s'interposa :

— Tracey ! Tu ne vas pas gâcher l'anniversaire d'Emma !

Au même instant, Jeremy pénétra dans le salon avec un groupe de garçons. Comme il n'avait pas envie d'être le seul garçon de la fête, Mme Browne lui avait dit d'amener ses amis. Leur arrivée mit fin à la dispute. Ils commencèrent à s'amuser avec les ballons, Angela et deux de ses amies entrèrent, bientôt suivies du reste des invitées. Le salon se remplit de discussions et de rires. Finalement, tout le monde passa l'après-midi à s'amuser, même Angela et Tracey.

Quand tous leurs amis furent partis, Lucie et Emma se laissèrent tomber sur le canapé du salon. Quelle journée ! Elles étaient épuisées !

— Ta mère a organisé un super-goûter ! déclara Lucie.

— Tu crois que ça leur a plu ?

— C'était génial ! répliqua Lucie. Je parie que même Angela a adoré !

— Tracey a passé beaucoup de temps avec les garçons, remarqua Emma. Pourtant, d'habitude, elle est toujours en train de les critiquer.

Lucie se mit à rire :

— J'avais demandé à Jeremy de l'occuper ! Je ne voulais pas qu'elle vienne encore nous embêter. On dirait que ça a marché !

Après un moment de silence, Emma se leva brusquement.

— J'allais oublier ! s'écria-t-elle. Maman m'a parlé d'un autre cadeau. Il faut que j'attende la fin de la fête pour l'avoir.

Que pouvait bien être ce cadeau mystérieux ? Intriguées, Lucie et Emma partirent à la recherche de Mme Browne. Elle descendait justement les escaliers avec, dans ses bras, une boîte en carton. À l'intérieur, les filles aperçurent... deux adorables chatons !

7

Première répétition

Cela faisait si longtemps qu'Emma rêvait d'un animal domestique !

— Deux chats d'un coup ! Je n'arrive pas à y croire ! s'exclama-t-elle. Ils sont tellement mignons !

— Nous sommes allés les choisir au refuge des animaux, expliqua Mme Browne. Ce sont deux sœurs. Elles s'amusaient tellement ensemble ! Nous n'avons pas eu le cœur de les séparer.

— Tu as vraiment de la chance, Emma ! soupira Lucie. J'ai toujours voulu un chat.

— En fait, dit Mme Browne en souriant, il y en a un pour chacune de vous !

Lucie n'en croyait pas ses oreilles. Ce n'était pourtant pas son anniversaire !

— C'est vrai ?! s'exclama-t-elle. Pour moi ? Mais que va dire maman ?

— Ne t'inquiète pas Lucie, répondit la mère d'Emma. Ta mère est d'accord. Mais nous avons décidé que les chatons resteraient chez nous jusqu'à ce qu'ils soient un peu plus grands.

— C'est vrai qu'ils ne sont pas de taille à affronter Charlie ! plaisanta Lucie.

Ce soir-là, la maman de Lucie accepta qu'elle dorme chez Emma pour profiter des petites chattes. Les deux amies s'amusèrent à agiter des bouts de papier devant leur nez. Elles lançaient leurs minuscules pattes dans tous les sens pour essayer de les attraper. C'était vraiment trop craquant !

— Comment on va les appeler ? demanda Emma.

— Valentina et Anastasia ! s'exclama aussitôt Lucie.

— Mais oui, bien sûr !

Anastasia et Valentina étaient deux danseuses imaginaires. Lucie et Emma inventaient leurs aventures chaque fois qu'elles dormaient dans la chambre d'Emma.

Les deux amies regardèrent les chatons jouer jusqu'à ce qu'ils s'endorment, pelotonnés l'un contre l'autre dans leur petit panier d'osier. Cinq minutes plus tard, Lucie et Emma s'endormaient à leur tour, le sourire aux lèvres.

La liste des rôles fut affichée le lendemain à l'école. Lucie courut annoncer la bonne nouvelle à ses amis qui étaient dans la cour.

— Nous sommes dans le groupe des Chats ! annonça-t-elle à Emma, Jeremy, Mélanie et Tracey

— Génial ! s'exclama Tracey.

— Euh… mais pas toi, corrigea Lucie. Toi, tu seras un des enfants du village ! ajouta-t-elle en essayant de prendre un ton enjoué.

— Oh non ! protesta Tracey. Moi je veux être un chat, comme Mélanie !

— Pour les Chats, ils ont pris ceux qui font de la danse ou de la gymnastique, expliqua Lucie.

Tracey prit un air grognon.

— Alors, comme ma mère ne peut pas me payer des cours de danse, je n'ai pas le droit de faire partie du groupe des Chats ! C'est pas juste ! Je parie qu'elle, elle va être un Chat ! dit-elle en pointant son doigt vers Emma.

— Mais Emma fait de la danse ! expliqua Mélanie. Arrête de faire des histoires pour rien !

Tracey se tut. Mais Lucie voyait bien qu'elle bouillonnait de colère. « Pourvu que cela ne retombe pas encore une fois sur Emma ! » songea-t-elle.

La première répétition eut lieu pendant la récréation. Mlle Johnson arriva dans la salle… avec quelqu'un que Lucie et Emma connaissaient bien : Mlle Ashton !

— Nous avons la chance d'avoir avec nous un professeur du cours Maple annonça Mlle Johnson. Elle aidera le groupe des Chats à apprendre leur danse.

Pour que les élèves se familiarisent avec leur rôle, Mlle Ashton leur demanda de penser à un chat qu'ils connaissaient. Lucie et Emma savaient qui prendre pour modèle !

— Imaginez que vous êtes cet animal, demanda le professeur. Maintenant

marchez, courez, sautez, étirez-vous, roulez-vous en boule ! Faites tout comme lui !

Tout le monde s'appliqua. Emma repensa à la manière dont Valentina jetait ses pattes en avant pour attraper les bouts de papier.

— C'est très bien, Emma ! s'exclama soudain Mlle Ashton.

Les joues d'Emma devinrent toutes roses. Elle était si fière ! Mais au même moment, son regard se posa sur Tracey. Debout dans le couloir du gymnase, elle regardait la répétition à travers la porte vitrée. Elle ne semblait pas en colère, non. Elle avait juste l'air malheureux… et très seule.

8

Tracey a sa chance

Ce soir-là, après l'école, Emma était bien pensive.

— Il faut faire quelque chose pour Tracey, annonça-t-elle soudain à Lucie et Jeremy sur le chemin du retour.

— Tu as raison ! s'exclama Lucie. Elle est horrible avec toi !

— Je ne parle pas de ça ! Il faut qu'elle participe avec nous à la danse des Chats.

Lucie, stupéfaite, regarda son amie.

— La danse des Chats ? Mais Tracey ne sait pas danser. Elle va tout gâcher !

— Je suis sûre qu'elle peut apprendre, assura Emma.

— Pourquoi veux tu faire ça pour elle ? répéta Lucie. Elle est toujours méchante avec toi !

Emma continua d'avancer en fixant le trottoir.

— Qu'est-ce qui se passe, Emma ? demanda Jeremy. Tracey t'a menacée ?

— Mais non, pas du tout ! C'est juste que… cette fille est très malheureuse. Elle est comme moi… quand j'étais dans mon autre école.

— Personne ne la maltraite, elle ! dit Lucie, perplexe.

— Non, je sais. Mais elle se sent mise à l'écart… J'ai vu son visage pendant que nous répétions. Elle était tellement triste !

Emma semblait au bord des larmes. Tant de mauvais souvenirs lui revenaient ! Jeremy la prit par les épaules pour la réconforter.

— Allez Emma, souris ! Dis-nous ce qu'on doit faire. On va t'aider !

Les trois amis allèrent voir Mlle Ashton à la fin du cours de danse. Ils lui racontèrent toute l'histoire. Lucie expliqua comment Tracey avait embêté Emma depuis son arrivée à l'école.

— Mais c'est parce qu'elle est inquiète qu'elle fait ça, insista Emma. Tracey n'est bonne dans aucune activité. Elle a peur de perdre sa meilleure amie et que tout le monde la rejette. C'est pour ça qu'elle me rabaisse.

Mlle Ashton réfléchit un instant.

— Vous pensez vraiment que les choses s'arrangeraient si Tracey faisait partie du groupe des Chats ?

— J'en suis certaine ! s'exclama Emma.

— En tout cas, ça vaut la peine d'essayer, renchérit Jeremy.

— Quand même, elle ne sait pas danser ! intervint Lucie.

— Eh bien, on l'aidera ! affirma Emma. En tout cas, moi, je l'aiderai.

— D'accord, d'accord ! dit Lucie. Si c'est vraiment ce que tu souhaites, je veux bien essayer…

— J'en parlerai à Mlle Johnson, assura le professeur d'une voix douce. Je vais m'arranger pour que Tracey fasse partie du groupe des Chats.

— Merci, merci ! dit Emma en sautant au cou de Mlle Ashton. Je suis sûre que ça va être super !

À la récréation du lendemain, Tracey, accompagnée de Mélanie, fonça vers Lucie et Emma.

— Je suis dans le groupe des Chats ! claironna-t-elle. Il y a eu une erreur. Ils s'étaient trompés de colonne en inscrivant mon nom sur la liste.

— C'est vraiment super ! dit Emma. Comme ça on va pouvoir être toutes ensemble !

— Tu croyais sûrement que je n'étais pas assez douée, répliqua Tracey. Parce que moi, je ne vais pas au cours de danse comme toi !

— Je n'ai jamais pensé ça. Je suis sûre que tu feras un très bon Chat.

Tracey l'observa d'un air méfiant.

— Qu'est-ce que tu en sais ? Tu ne m'as jamais vu danser ! Mais je peux être très bonne, figure-toi !

« Tracey ne manque pas de culot ! pensa Lucie. Emma fait tout pour l'aider et elle continue à jouer les pestes ! »

— Écoute Tracey, intervint Lucie, c'est grâce à…

Emma l'interrompit.

— Non, Lucie !

— Qu'est-ce qu'il y a ? grogna Tracey.

— Tu es vraiment énervante en ce moment, Tracey ! s'exclama Mélanie.

— C'est sa faute ! s'écria-t-elle en montrant Emma. Elle n'arrête pas de me critiquer !

— N'importe quoi ! protesta Lucie.

— Stop ! cria Emma. Pourquoi ne pourrait-on pas être amies, tout simplement ?

Tracey réfléchit un instant.

— Bon… d'accord. Mais arrête de te croire la meilleure, O.K. ?

9

Une idée de génie!

Le lendemain, Tracey participa à sa première répétition. Son groupe s'entraînait à la danse des Chats depuis plusieurs jours déjà. Et tous arrivaient maintenant à bien coordonner leurs mouvements. Évidemment, Tracey était à la traîne.

— Ne t'inquiète pas, lui dit Mlle Ashton. Tu vas vite rattraper les autres.

— Oui, je sais que je peux y arriver, répondit Tracey, sûre d'elle.

Elle voulu sauter comme un chat. Mais son bond ressemblait plutôt à celui d'un gros lapin !

Mlle Ashton se tourna à nouveau vers le groupe.

— Maintenant, pliez les genoux, ordonna-t-elle. Restez près du sol.

Tracey fit une tentative. Mais, déséquilibrée, elle s'étala par terre. Tout le monde éclata de rire. Elle se releva, vexée.

« Je savais que ce n'était pas une bonne idée de la prendre dans notre groupe, pensa Lucie. Mais si on ne trouve pas rapidement une solution, tout le spectacle sera gâché ! »

Elle réfléchit.

— Et si un des chats était du genre maladroit, proposa-t-elle à Mlle Ashton. Ça ferait rire les spectateurs !

— Tu veux dire que je suis maladroite ? fit Tracey d'un ton menaçant.

Emma vint au secours de son amie :

— Pourquoi pas un chaton ? Ils font tout le temps des bêtises. Et... tout le monde les aime !

Tracey ne parut pas convaincue pour autant.

« Je sais comment faire pour qu'elle accepte ! » songea Emma.

— Mlle Ashton, j'aimerais bien être le chaton maladroit ! s'exclama-t-elle. Je ferai rire toute la salle !

— Pas question ! s'écria Tracey. C'est grâce à moi qu'on a pensé à ce personnage. Je VEUX être le chaton.

— Excellente idée ! déclara Mlle Ashton. Et ce serait encore mieux s'il y avait deux chatons.

— Super ! dit Jeremy. Ils pourraient copier tout ce que font les chats. Ils n'y arriveraient pas et passeraient leur temps à rater leurs mouvements.

Tout le monde était emballé ! Tandis que les Chats continuaient à répéter leurs pas, Mlle Ashton emmena Tracey et Emma dans un coin de la salle de répétition. Elle leur montra comment bouger et rouler sur le sol… comme des petits chats maladroits !

Puis elle les laissa s'entraîner seules et retourna s'occuper des autres élèves.

— C'est super de jouer ce rôle, confia Emma à Tracey. J'ai toujours peur de

me tromper quand je suis sur scène. Cette fois, si ça m'arrive, les spectateurs penseront que je l'ai fait exprès !

— Pourquoi tu te tromperais ? Tu dois être bonne puisque tu prends des leçons de danse…

— Pas autant que Lucie et Jeremy. Eux, ils veulent devenir danseurs plus tard. Moi je fais juste ça pour m'amuser. Mais ne le dis pas à Lucie. Elle aimerait que je devienne une ballerine comme elle.

— Je garderai le secret, promis ! jura Tracey.

Emma reprit :

— Tu sais, si on arrive à faire rire le public, on aura droit à une tonne d'applaudissements !

Les yeux de Tracey se mirent à briller :

— C'est vrai ?! s'exclama-t-elle. Alors, j'ai hâte d'y être !

— Vous voulez venir chez nous pour voir les chatons ? proposa Emma à Tracey et Mélanie après l'école. On trouvera plein de nouvelles idées pour le spectacle en les regardant.

— J'aimerais bien... soupira Tracey, mais plutôt ce soir. Mélanie va à son cours de gymnastique.

— Et alors ? Tu n'as qu'à venir toute seule, proposa Emma.

— Tu es sûre ? hésita Tracey.

Quelqu'un voulait bien l'inviter sans Mélanie ! Elle n'arrivait pas à y croire ! Elle lança un regard inquiet à sa meilleure amie.

— Vas-y si tu veux, Tracey ! On n'est pas des sœurs siamoises !

— Alors d'accord, je viens ! Il faut juste que je passe à la maison pour prévenir ma mère.

Elles laissèrent Mélanie devant sa jolie maison et se rendirent chez Tracey. Celle-ci habitait un vieil immeuble dont les murs étaient couverts de graffitis. Tracey sonna à la porte mais personne ne répondit.

— Maman doit sûrement travailler tard ce soir, expliqua Tracey en sortant ses clés de son cartable. Je vais laisser un mot pour lui dire que je suis chez toi.

— Tu crois qu'elle sera d'accord ? demanda Emma.

— Pas de problème. De toute façon,

elle n'est pas là avant au moins deux heures.

— Alors, tu pourras goûter à la maison avec nous !

— Génial ! s'exclama Tracey.

Après s'être gavées de gâteaux au chocolat et de jus de fruits, les trois filles s'assirent sur le tapis moelleux de la chambre d'Emma. Elles ne se lassaient pas d'observer les deux chatons.

— Moi aussi j'ai eu un chat, confia Tracey. Mais il s'est fait écraser par une voiture...

Pauvre Tracey ! Elle n'avait pas de chance. Lucie et Emma s'approchèrent d'elle pour la réconforter, mais Anastasia les avait devancées. D'un pas mal

assuré, la petite chatte s'était approchée de Tracey et escaladait ses genoux.

— On dirait qu'elle t'aime bien, constata Emma.

Tracey caressa la petite chatte, qui se mit à ronronner. Alors Emma attrapa Valentina et la posa aussi sur les genoux de Tracey. La fillette leva les yeux vers Emma et lui sourit.

10

Tous en scène !

Quelle effervescence ! Le spectacle de Noël approchait et il fallait tout préparer ! En plus, une semaine avant la représentation, il fut décidé que les Chats et les Chatons devraient aussi chanter ! Emma était catastrophée, elle avait une si petite voix ! Heureusement, Tracey chantait assez fort pour deux.

Durant le cours d'activités manuelles, il fallut peindre les décors et confectionner tous les costumes. Les Chats portaient des collants avec des justaucorps et des tee-shirts noirs tachés de couleurs pour imiter le pelage des animaux.

On fabriqua aussi des bonnets de fausse fourrure sur lesquels furent fixés des petites oreilles en tissu. Enfin, Mme Jones apprit aux fillettes comment se maquiller en chat. C'était très ressemblant.

Lucie, Emma et Jeremy durent aussi vendre des billets pour le spectacle. M. Pince-sans-rire fut le premier client de Lucie.

— Il m'a dit : « Je ne raterais ça pour rien au monde », raconta-t-elle à

Jeremy. Et il a même acheté un billet pour Angela !

— Et Mme Dillon a pris deux places, ajouta Emma. Elle viendra avec Mlle Maple.

— On a intérêt à être bons ! s'exclama Lucie.

Jeremy lui adressa un clin d'œil :

— On ne va pas être bons, on va être géniaux !

Déjà la dernière répétition ! Les tenues de scène venaient juste d'être terminées. On avait rembourré celles d'Emma et de Tracey. Comme ça les Chatons ressemblaient à de vrais patapoufs. C'était encore plus drôle !

Les rôles des Chatons avaient pris beaucoup d'importance. Le plus amusant

était le moment où ils tombaient d'un mur au fond de la scène. Les Chats les rattrapaient au vol. Mais Tracey avait peur d'exécuter cette cascade. Les Chats pouvaient la laisser tomber par terre ! Heureusement, Mlle Ashton parvint à la convaincre.

— Tu dois faire confiance à tes amis, Tracey. Tout se passera bien.

— Mmm… bougonna Tracey. En tout cas, ils ont intérêt à me rattraper !

Finalement, après un long moment d'hésitation au sommet du mur, elle se laissa tomber… directement dans les bras des Chats.

— C'est super ! s'exclama-t-elle.

Et elle se pressa de remonter sur le mur pour essayer une fois de plus.

Le grand jour arriva enfin. Toute la troupe trépignait dans les coulisses en attendant le début du spectacle. Mais la plus paniquée, c'était Tracey !

— Je ne vais pas y arriver ! s'exclama-t-elle. J'ai trop peur !

— Ne t'inquiète pas, la réconforta Emma. J'étais comme toi l'année dernière, avant la pantomime. Si tu te trompes, ce n'est pas grave, ce sera encore plus drôle ! De toute façon, on ne peut plus reculer !

Et elle saisit la main de Tracey pour l'entraîner sous les projecteurs.

Le public adora les Chatons ! Il y eut des rires à chacune de leurs bêtises. Et

un tonnerre d'applaudissements salua le moment où ils tombaient dans les bras des Chats.

À la fin du spectacle tout le monde salua et une longue ovation fut réservée aux Chatons. Tracey se tenait au centre de la scène, la main dans celle d'Emma. Son visage rayonnait de bonheur.

Lorsque le rideau se baissa pour la dernière fois, elle se jeta dans les bras d'Emma. Elle était si heureuse qu'elle serra contre son cœur Mélanie, Lucie puis tous ceux qui passaient près d'elle…

Le lendemain, à l'école, tout le monde ne parlait que du spectacle… et des Chatons ! Leur scène avait été l'un des meilleurs moments. Pour une fois ce fut au tour de Mélanie de parler des talents de sa meilleure amie. Elle la félicita d'avoir été aussi drôle.

— Tu as vu, confia Lucie à Emma, Tracey ne se vante même plus !

— Quand on réussit vraiment bien quelque chose, ce n'est pas la peine, répondit Emma. Par exemple, toi tu ne te vantes pas d'être bonne en danse, pas vrai ?

— Peut être… dit Lucie. En tout cas, tes problèmes avec Tracey sont terminés !

— Je crois même que je me suis fait une amie ! répliqua Emma en affichant un sourire radieux.

Tu as aimé

Courage, Emma !

alors retrouve vite les héros de

avec cet extrait de :

Haut les cœurs !

(à paraître en octobre 2002)

[…]

— Ne bouge pas, ordonna Lucie. Je vais rajouter deux ou trois épingles.

Emma soupira :

— Ma mère ne veut pas que je me laisse pousser les cheveux ! Pourtant… ouille !

— Oups, désolée !

— S'ils étaient plus longs, ce serait plus pratique pour faire les chignons !

— Voilà, c'est fini ! annonça Lucie. J'ai fait de mon mieux, mais ce n'est pas terrible.

En se regardant dans le miroir, Emma fit la grimace.

— Je vais mettre un bandeau, décida-t-elle.

Et elle se mit à fouiller dans son sac de danse.

Lucie fronça les sourcils et prit une grosse voix :

— Moi, je vais aller lui dire un mot, à ta mère. J'en ai assez de passer une heure à te coiffer avant chaque cours !

— Oh oui, peut-être que toi, elle t'écouterait !

Il n'y avait presque plus personne dans les vestiaires maintenant.

— Vite ! s'écria Lucie. À mon tour.

Emma tira les cheveux de son amie en arrière, puis les attacha en chignon avec quatre épingles et un petit filet. Voilà, elles étaient prêtes !

En entrant dans la salle, elles aperçurent Jeremy. Elles n'eurent malheureusement pas le temps de lui parler parce que leur professeur, Mme Dennison, arrivait. Comme tout le monde rentrait de vacances, les élèves commencèrent par s'échauffer un bon moment.

À la barre... première position... ouvrez en seconde et on repasse en première.

Lucie connaissait ces exercices par cœur. Elle enchaînait les mouvements de façon machinale, en repensant au coup de téléphone de Flora Rose. C'était une amie que Lucie et Emma avait rencontrée au stage de danse cet été.

Demi-plié, un, deux...

Hier, Flora lui avait raconté que les élèves de son cours participaient au Défi-danse afin de récolter des fonds pour les enfants malades. Ils allaient monter un spectacle et faire une véritable tournée dans toute sa ville !

Elle en avait de la chance !

Plié, trois, quatre...

Lucie était un peu jalouse car, dans son école à elle, on ne faisait jamais ce genre de choses. Bien sûr, la directrice, Mlle Maple, était très gentille. Elle lui avait même donné des cours gratuits au début, quand sa mère ne pouvait pas payer. Et c'était un excellent professeur...

— Lucie Lambert ! Vous êtes avec nous ? gronda Mme Dennison au beau milieu de la série de battements tendus.

Lucie entendit Angela ricaner dans son dos. Elle devint rouge comme une pivoine et bafouilla :

— Excusez-moi, madame.

— Bien, concentre-toi maintenant, Lucie. On recommence les battements tendus en première.

Lucie chassa Flora et le Défi-danse de ses pensées.

Après le cours, elle décida d'en parler à Jeremy, sur le chemin du retour.

— Tu sais qui j'ai eu au téléphone hier soir ?

— Flora, je parie ! Elle m'a appelé aussi.

Lucie était un peu déçue. Elle avait oublié que Jeremy la connaissait. Un pincement de jalousie la saisit quand elle les imagina en train de bavarder au téléphone. Lucie voulait que Jeremy devienne son partenaire sur scène quand elle serait danseuse étoile. Le problème, c'est qu'il ne voulait pas continuer la danse classique. Lui son rêve, c'était de jouer dans des comédies musicales… comme Flora ! Voilà pourquoi Lucie était jalouse : elle avait peur que Flora lui vole *son* Jeremy.

— Elle t'a parlé du Défi-danse alors, reprit-elle. C'est génial, tu ne trouves pas ?

— Oui, ce n'est pas Mlle Maple qui nous laisserait faire ça, soupira Jeremy.

— Pourtant ce serait un bon exercice et, en plus, on aiderait des tas d'enfants, ajouta Emma.

— Et si on demandait à Mlle Ashton ? proposa Lucie.

— Non, j'ai une meilleure idée ! s'exclama Jeremy. On va en parler à

Mme Dillon. Elle, elle saura convaincre Mlle Maple.

Lucie dut se retenir de lui sauter au cou.

— Oh ! Tu es un vrai génie, Jeremy !

Mme Dillon, la voisine de Lucie, était une ancienne danseuse russe de la célèbre troupe du Bolchoï. Mlle Maple l'admirait énormément. Elle lui avait même demandé de parrainer son école de danse et de présider le jury lors des auditions. S'ils parvenaient à mettre Mme Dillon de leur côté, ils avaient peut-être une chance de participer au Défi-danse !

Dans la même collection

1. Premières leçons
2. Lucie, petit rat
3. Une ennemie pour Lucie
4. Faux pas
5. Une nouvelle épreuve
6. Une amie de plus
7. Courage, Emma !
8. Haut les cœurs !
   (à paraître en octobre 2002)

Composition : Francisco *Compo* - 61290 Longny-au-Perche
Imprimé en France par Brodard et Taupin
13066 - La Flèche (Sarthe), le 19-06-2002

Dépôt légal : juillet 2002

12, avenue d'Italie • 75627 PARIS Cedex 13

Tél. : 01.44.16.05.00